EL HIJO DEL GRUFALÓ

Julia Donaldson
Ilustraciones de Axel Scheffler
Traducción de Pilar Armida

Castillo de la lectura

—Este bosque oscuro y hondo nunca
deberás pisar —decía un día al grufalito
el grufaló, su papá.

—¿Por qué no, por qué no? ¡Dímelo ya!

—Ah, porque si lo haces, el Malvado Ratón
te perseguirá.

Yo lo conocí en algún momento,
yo lo conocí hace mucho, mucho tiempo.

—Dime, papá, ¿cómo es el Ratón?
¿Es malo y terrible y muy enojón?

—Ya no lo recuerdo —dijo el grufaló.
Lo pensó por un momento y su cabeza rascó.

—El Malvado Ratón tiene músculos de piedra
y una cola luenga, escamosa como la hiedra.

Sus ojos son un par de carbones encendidos
y sus bigotes son púas de alambre retorcido.

Una noche de invierno,
cuando el grufaló roncaba,
su hijo pequeño de aburrimiento
se lamentaba.

Se sentía muy valiente,
el hijo del grufaló
y, caminando de puntitas,
de la cueva se alejó.
   La nieve caía
y el viento soplaba.
El pequeño grufaló
en el bosque se internaba...

¡Ojó! ¡Ajá! ¡En la nieve huellas hay!
¿De quién son? ¿Adónde van?

Una larga cola entre los troncos se asomó.
¿Será acaso esa cola la del Malvado Ratón?

Salió la criatura, pero no tenía bigotes
y sus ojos oscuros no eran vivos ni grandotes.

—¿Acaso eres tú el Malvado Ratón?
—¿Yo? ¡Nunca! —dijo la serpiente—.
Él se está cenando un grufaló crujiente.

La nieve caía y el viento soplaba.
"¡Yo no tengo miedo!", el grufalito pensaba.

¡Ojó! ¡Ajá! En la nieve huellas hay.
¿De quién son? ¿Adónde van?

En lo alto de un árbol, una mirada brilló.
¿Podría ser acaso la del Malvado Ratón?

Bajó la criatura en un batir de alas.
No tenía bigotes y en su cola no había escamas.

—¡Apuesto a que tú eres el Malvado Ratón!
—¿Quién, yo? Buú, buú. ¡Jamás! Él cenó
grufaló y de seguro quiere más.

La nieve caía y el viento soplaba.
"¡Yo no tengo miedo!", el grufalito pensaba.

¡Ojó! ¡Ajá! En la nieve huellas hay.
¿De quién son? ¿Adónde van?

¡Bigotes, al fin, bajo un viejo tocón!
¿Será la guarida del Malvado Ratón?

En un dos por tres se asomó la criatura,
mas sus ojos eran pardos y su cola era peluda.

—¿Acaso eres tú el Malvado Ratón?
—¿Quién, yo? ¡Claro que no! Él se esconde
tras ese árbol y bebe té de grufaló.

—Sólo es un truco —el grufalito pensó
y, sintiéndose engañado, decidido, declaró—:
¡Yo ya no creo en el Malvado Ratón!

Pero ahí viene uno, saliendo
de su mansión.
No es grande ni malvado,
pero es un ratón al fin y al cabo.

¡Será, sin duda, un suculento bocado!

—¡Aguarda! —gritó el ratón—.
Antes de morder, creo que hay alguien
a quien debes conocer.

Si me dejas trepar a la copa de ese árbol,
yo llamaré a mi amigo, que es grande y malvado.

El pequeño grufaló dejó ir a su presa.
—¿El Malvado Ratón existe de veras?
El astuto roedor dio un salto a la rama.
—¡Tú sólo espera! —gritó con confianza.

Salió la Luna. Era grande y redonda.
Y, de pronto, en el suelo, apareció una
gran sombra.

¿Quién es esa bestia tan fuerte y grotesca
con esa cola luenga y orejas gigantescas?
Sus bigotes son púas de alambre retorcido
y carga la nuez más grande que se ha visto.

—Lo veo y no lo creo. ¡Es el Malvado Ratón!
El roedor pequeñito dio un gran brinco y sonrió

¡Ojó! ¡Ajá! En la nieve huellas hay.
¿De quién son? ¿Adónde van?

Una tras otra, el ratón las siguió...

...hasta que vio al grufalito, que en la cueva se metió.

...valientes, ni aburridos, los grufalós se acurrucaron...

... y el resto del invierno
roncaron y roncaron.

Dirección editorial: Adriana Beltrán Fernández
Coordinación de la colección: Karen Coeman
Cuidado de la edición: Pilar Armida
Diseño y formación: Sara Miranda y Maru Lucero
Traducción: Pilar Armida

El hijo del grufaló

Título original en inglés: *The Gruffalo's Child*

Texto D. R. © 2004, Julia Donaldson
Ilustraciones D. R. © 2004, Axel Scheffler

Editado por Ediciones Castillo
por acuerdo con Macmillan Children's Books,
London N1 9RR, Inglaterra.

Primera edición: febrero de 2012
Segunda reimpresión: mayo de 2014
D. R. © 2012, Ediciones Castillo, S. A. de C. V.
Castillo ® es una marca registrada.

Insurgentes Sur 1886, Col. Florida,
Del. Álvaro Obregón,
C. P. 01030, México, D. F.

**Ediciones Castillo forma parte
del Grupo Macmillan**

www.grupomacmillan.com
www.edicionescastillo.com
infocastillo@grupomacmillan.com
Lada sin costo: 01 800 536 1777

Miembro de la Cámara Nacional
de la Industria Editorial Mexicana.
Registro núm. 3304

ISBN: 978-607-463-522-5

Impreso en México / *Printed in Mexico*

Impreso en los talleres de
Grupo Gráfico Editorial S. A. de C. V.
Calle B núm. 8, Parque Industrial Puebla 2000
C. P. 72225 Puebla, Pue.
Mayo de 2014.